11/16/12

BLUE EXORCIST

KAZUE KATO

I
Kato
Spanish

BLUE EXORCIST

ÍNDICE

4

DRAMATIS PERSONAE

Rin Okumura

Vástago de Satán, por cuyas venas corre tanto sangre demoníaca como humana. Quiere ser exorcista para vengar la muerte de su padre adoptivo, el padre Shiro Fujimoto. Estudia primero de bachillerato en el Instituto Vera Cruz y es escudero en la Academia de Exorcistas. Aspira a ser un Knight, la licencia que se otorga a aquellos exorcistas que luchan empleando la espada. Cuando desenvaina la Komaken, una espada regalo de Shiro, se ve envuelto por las llamas azules que ha heredado de Satán y su poder queda liberado.

Yukio Okumura

Hermano pequeño de Rin, su sueño es ser médico. Es un verdadero genio y ha logrado ser el exorcista más joven de la historia que ha dado clases en la Academia. Da clases de Química demoníaca y tiene las licencias de Doctor y Dragoon.

Shiemi Moriyama

Hija de la dueña de la tienda de suministros para exorcismo "Futsumaya". Después de conocer a Rin y a Yukio decide que ella también quiere ser exorcista. Tiene el grado de escudera y mucha madera para ser una Tamer. Es capaz de invocar a una larva de Hombre verde.

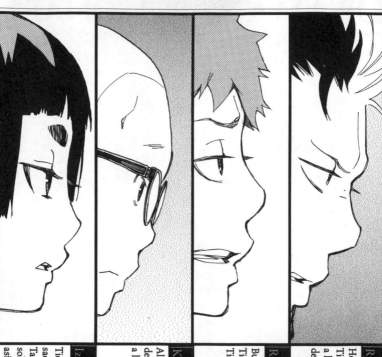

Ryuji Suguro

Heredero de un templo de Kioto con una larga historia.
Tiene el grado de escudero y quiere ser exorcista debido
a lo que le pasó durante la noche azul. Aspira a las licencias
de Dragoon y Aria.

Renzo Shima

Buen amigo de Suguro y discípulo de su Padre en el templo.
Tiene el grado de escudero y aspira a la licencia de Aria.
Tiene un carácter alegre y le encantan las chicas.

Konekomaru Miwa

Al igual que Shima, es un buen amigo de Suguro y discípulo
de su padre en el templo. Tiene el grado de escudero y aspira
a la licencia de Aria. Es pequeño y amable con todo el mundo.

Izumo Kamiki

Tiene el grado de escudera y proviene de una familia de
sacerdotisas sintoístas. Tiene madera para ser una buena
Tamer y es capaz de invocar a dos zorros blancos de una
sola vez. Su mejor amiga (Paku) ha dejado la academia,
así que ahora casi siempre está sola.

Shura Kirigakure

Inspectora de primera enviada al Instituto Vera Cruz por el Vaticano. Es una exorcista superior de primera y posee las licencias de Knight, Tamer, Doctor y Aria. En su tiempo fue alumna de Shiro y ahora se ha convertido en la instructora de esgrima de Rin a petición de su antiguo maestro.

Amaimon

Hermano pequeño de Mephisto Pheles. Ha acudido al instituto por órdenes de este, pero no se conocen más detalles sobre él.

Mephisto Pheles

Director del Instituto Vera Cruz y de la Academia de exorcistas. Era amigo del padre Fujimoto y ahora es el tutor de Rin y Yukio. Sus actos son muy sospechosos, pero ahora no se conocen detalles sobre él ni sus verdaderas intenciones.

Shiro Fujimoto

Padre adoptivo de Rin y Yukio, que ejercía como sacerdote de la Iglesia de la Vera Cruz. En realidad ostentaba el rango de Paladín y antiguamente daba clases de Química demoníaca en la academia. Fue poseído por Satán y tuvo que dar su vida para proteger a Rin.

Resumen

Rin Okumura es un joven por cuyas venas corre tanto sangre humana como de demonio. Un buen día recibe la visita de su padre (Satán), quien pretende llevárselo consigo al Gehena como heredero de su inmenso poder. Sin embargo, su padre adoptivo da la vida por protegerle. En ese momento Rin decide que quiere ser exorcista para derrotar a Satán y así vengar la muerte del padre Fujimoto. De este modo empieza a estudiar en la Academia de Exorcistas bajo las órdenes de su hermano Yukio.

Rin y sus compañeros ascienden con éxito al rango de escuderos y deben investigar la aparición de un fantasma en el parque de atracciones del instituto. Mientras llevan a cabo esta misión, Rin es atacado de repente por Amaimon ("el rey de la tierra") y pierde la espada Komaken. Sus llamas azules arden fuera de control y Rin queda completamente agotado al verse arrastrado por una fuerza tan poco estable. En esos momentos acude a su rescate Shura Kirigakure, de la Orden de los caballeros de la Vera Cruz y enviada del Vaticano.

Shura le cuenta que hace tiempo fue alumna del padre Fujimoto y que este era ni más ni menos que el Paladín de la orden. En esos momentos Rin decide convertirse en el nuevo Paladín para demostrarle a todo el mundo que Shiro no se equivocó al decidir educarlo y se vuelca más que nunca en sus estudios.

Llega el verano...

Rin y el resto de los escuderos toman parte en una concentración de tres días en el recinto silvestre que el instituto tiene habilitado, en plena naturaleza. La acampada es a su vez una prueba para decidir quiénes de ellos podrán tomar parte en batallas reales. Para superarla deberán encontrar una de las lámparas que hay diseminadas por el bosque, encenderla y regresar al punto de reunión con ella. Shura le recomienda a Rin que no use las llamas, pero él no puede evitarlo al ver que Shiemi está sufriendo un ataque demoníaco. Un momento... ¡¿Suguro lo estaba viendo todo?!

Capítulo 12: La trampa para insectos

¿QUÉ HA SIDO ESO?

RESPIRA, RESPIRA.

PSÍ... CREO.

AUNQUE SANGRA DE LA CABEZA.

¡¿HUM?!

¿MORIYAMA ESTÁ BIEN?

SUGURO...

¿ME HA VISTO...?

...

SE HA PUESTO A BRILLAR DE REPENTE Y HE TENIDO QUE CERRAR LOS OJOS.

AL FINAL NO HE VISTO UN PIJO.

!!

GLUPS

POR CIERTO, ¿TÚ SABES QUÉ ERA ESA LUZ DE ANTES?

CLAC

IGUAL NO ME HA VISTO...

EHM... ¿AH, SÍ?

APAGA LA LUZ, CAPULLO.

¿NO VES QUE ATRAE A LAS POLILLAS?

¿¡TÚ QUÉ CREES...?! HE VENIDO A AYUDAR.

SUGURO, ¿QUÉ HACES TÚ AQUÍ?

ME... MENOS MAL... POR LO MENOS NO HA VISTO LAS LLAMAS SALIENDO DE MÍ...

POR LOS PELOS...

YA... ¡YA TE DIGOOOO! ¡BUF, NO SE VEÍA NADA!

...

ESTO, HUM... ¿QUÉ ERA ESO?

IGUAL HA SIDO ESA COSA, YA SABES, ¡ESO!

¡JA, JA, JA!

¡PARECÍA QUE LA ESTUVIERAN DESTRIPAN-DO! ¡¿QUÉ QUIERES, QUE ME HAGA EL SORDO CO-MO SI NO HUBIERA PASADO NADA?!

¡IMBÉCIL!

¡AGH!

¿A AYUDAR...? ¿NO HABÍAS DICHO QUE CADA UNO A SU BOLA?

¿HM?

¡YA VOLVERÉ LUEGO AL BOSQUE!

LA LLEVARÉ DE VUELTA AL CAMPA-MENTO.

Y YO ME FÍO...

BUENO... PARECE QUE SHIEMI ESTÁ BIEN.

YO ME ENCARGO DE ELLA. PUEDES ADELANTARTE SI QUIERES.

¡SHIEMI!

HM...

OKUMURA...

PLIC

¡ÑIIII!!

RIN... ¿EH? ¿POR QUÉ NO HAY LUZ?

FRAAP

¡¿QUÉ TE PASA AHORA?!

¡BUAAAH!

PLOP

PLOP PLOP

PO-BRECI-TO...

¡¡ÑII!!

¿QUIÉNES? ¿LAS POLI-LLAS?

SE ME HABRÁN CAÍDO CUANDO ME HAN ATACA-DO...

ME FALTAN COSAS...

¡ES VERDAD! ¿Y ES-TO...?

CON EL CÍRCULO MÁGICO PUE-DES VOLVER A INVOCARLO.

¿NO TIENES ALGUNA COPIA POR AHÍ?

¡AH! ¡EL MÍO TAMBIÉN SUENA!

¿HM?

ES VERDAD... A TI TE DAN ASCO LOS BICHOS.

M... MI... MENTE LO HA BLOQUEADO...

DE REPENTE ESTABA RODEADO POR MONTONES Y MONTONES DE POLILLAS...

...Y YA NO RECUERDO MÁS.

...

ES KONEKOMARU.

UNOS MINUTOS ANTES...

PF... JU, JU, JU, JU...

20/Julio
De: Konekomaru Miwa
Asunto: (sin asunto)

He encontrado una lámpara. Os digo que es imposible pasar la prueba solo. ¿Nos unimos? Partiendo del campamento está a

Anterior
Opciones ◄Seleccionar► Responder
Siguiente

¡¡¡...!!!

¡ESE ES MI CHICO!

¡UIIIIIIH!

¡NI DIEZ MINUTOS HA TARDADO EN SACAR LAS LLAMAS!

ME PARECE QUE NO PODREMOS ESCONDER LO DE RIN DURANTE MUCHO MÁS TIEMPO.

...

BUENO, NO ES TAN GRAVE.

CON LO OSCURO QUE ESTÁ, ESA LUZ CEGARÍA A CUALQUIERA.

EN LUGAR DE INFORMAR AL VATICANO

¿SE PUEDE SABER QUÉ ES LO QUE QUIERES, SHURA?

Y MÍRATE AHORA: ESTÁS MÁS DEMACRADO QUE UN CHUPATINTAS PRINGADO.

AY, QUÉ MAL ENVEJECEN ALGUNOS.

TE HAS QUEDADO AQUÍ COMO SI NO PASARA NADA.

¡NO ECHES MÁS LEÑA AL FUEGO!!

CON LO MONO QUE ERAS HACE TRES AÑITOS...

E... ¿ESO ES CIERTO?

P... ¿POR QUÉ LO HACES?

¿HUM?

!!!!

¡HIP!

ES QUE... ME HAN DICHO QUE TENGO QUE ENSEÑAR A RIN A JUGAR CON ESPADAS. ♪

LO DE INFORMAR ME LO RESERVO PARA MÁS ADELANTE.

¡¿DÓNDE TE HAS METIDO, RIN?!

¡¡MYA, JA, JA, JA, JA, JA!!

¡TENÍAS QUE VERLE CUANDO ME DIJO QUE VA A SER EL SIGUIENTE PALADÍN!

AUNQUE CUANDO SHIRO ME LO PIDIÓ PENSÉ QUE ESTABA DE BROMA.

UN CHICO CON ESAS ASPIRACIONES NO ME PUEDE CAER MAL.

¿EH?

SHIRO...

ESE CHAVAL AÚN ESTÁ MUY VERDE. A VER SI CONSEGUIMOS QUE LE ENTREN GANAS...

TSK... ¿SE ACABÓ?

NO ES QUE ME HAGA GRACIA RECONOCERLO, PERO EN LO REFERENTE AL ENTRENAMIENTO DE TU HERMANO...

...TENGO QUE ESTAR DE ACUERDO CON ÉL.

HUM.

ES QUE TENEMOS "TRES OPORTUNIDADES": UNA POR LÁMPARA. PERO ESO NO SIGNIFICA QUE TENGAMOS QUE HACERLO POR SEPARADO.

¡ME HAN LIADO CON ESO DE QUE TENEMOS "TRES OPORTUNIDADES" PARA PASAR LA PRUEBA!

¡Y DALE!

¿EH? ¿PERO TÚ NO DECÍAS QUE CADA UNO A SU BOLA?

NADA, QUE NO QUIERE SALIR CONMIGO...

YO SE LO HE PEDIDO UN MONTÓN DE VECES A KAMIKI, PERO NO HA QUERIDO DÁRMELO.

TÍO, ¿CUÁNDO NARICES...?

¿HM?

¿ALGUIEN TIENE EL NÚMERO DE TELÉFONO DE KAMIKI Y TAKARA?

¡TODO EL MUNDO A PRINGAR!

VENGA, MANOS A LA OBRA! YO ME ENCARGO, SOY UN CRACK DEL COMBATE EN GRUPO.

SE ME HA OCURRIDO UNA FORMACIÓN CON LA QUE PODREMOS LLEVAR LA LÁMPARA ENTRE LOS CINCO.

ESTO... PERDONAD.

FORMACIÓN KONEKOMARU

TA-CHÁAAAN

...

LO PRIMERO ES SUBIRLA AL CARRO.

DESPUÉS LA SELLAREMOS PARA QUE NO SE MUEVA AUNQUE ENCENDAMOS EL FUEGO.

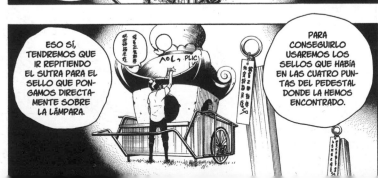

ESO SÍ, TENDREMOS QUE IR REPITIENDO EL SUTRA PARA EL SELLO QUE PONGAMOS DIRECTA-MENTE SOBRE LA LÁMPARA.

PARA CONSEGUIRLO USAREMOS LOS SELLOS QUE HABÍA EN LAS CUATRO PUN-TAS DEL PEDESTAL DONDE LA HEMOS ENCONTRADO.

RECORDAD QUE SI SE LE AGOTA, EL FUEGO SE APAGARÁ...

...ASÍ QUE PROCURAREMOS COGER UNAS CUANTAS.

¡VALE!

¿TE ENCARGAS TÚ, MORIYAMA?

ANTES DE ENCENDER EL FUEGO REUNIREMOS ALGUNAS PRESAS PARA QUE SE PUEDA ALIMENTAR.

ESA ESPECIE DE POLILLAS SERVIRÁN DE COMBUSTIBLE.

DE TODOS NOSOTROS, EL QUE MEJOR PUEDE RECITARLO ES BON.

PERO A ÉL SE LE DA MEJOR...

YO TAMBIÉN LO RECUERDO...

CUANDO ENCENDAMOS LA LÁMPARA, NOS ATACARÁN EN TROPEL.

¡UAAAH!

¡AHÍ ESTÁN!

¡YA VIENEN!

SHIMA Y YO NOS ENCARGAREMOS DE MANTENER A LOS CHÓNG ZHÍ A RAYA.

FLAP FLAP

FLAP FLAP

¡UAAAH!

MIENTRAS TANTO, EL QUE TENGA MÁS POTENCIA DE ARRASTRE IRÁ TIRANDO DEL CARRO.

TROC

HMF ¡¡UOOOOOH!!

TROC

¿CÓMO?

ES PRONTO PARA BAJAR LA GUARDIA. TODAVÍA QUEDAN PROBLEMAS...

...

VAMOOOOSGH...

CÓMO TE PASAS, OKUMURA.

¿DE DÓNDE HAS SALIDO, TÍO?

...

YA SON MÁS DE LAS CUATRO...

¡PERO SERÁ...!

¡¡...!!

ZZZ ZZZ

HM... AHM...

WIIIIIIN

ALGUNO DE LOS CHICOS SE HABRÁ RENDIDO.

PARECE UNA BENGALA...

¿QUÉ ES ESE RUIDO?

¡FWAAAH!

むくっ

NO HAN TARDADO MUCHO.

WIIIIN

SÍ, YA VOY. ¡TÚ PROCURA DESPERTARTE!

¿VAS TÚ A BUSCARLO?

¡EO!

¿SERÁN KAMIKI O TAKARA?

ALGUIEN HA ENCENDIDO LA BENGALA.

TROC

TROC

¡TENEMOS UN PUENTE COLGANTE AQUÍ DELANTE!

¿...?

WIIIIIN

¡¿QUÉ HACEMOS AHORA?!

¿HABÉIS VISTO CÓMO ESTÁN LAS TABLAS...?

¡¡SI PASO POR AHÍ CON EL CARRO, ME VOY DE CABEZA AL AGUA!!

DUDO MUCHO QUE PODAMOS PASAR NOSOTROS... Y EL CARRO NO DIGAMOS.

U...

GLUPS

¡¡UAAAAAGH!!

?!

¡NOH!

¡¡M-M-MIRAD ABAJO!!

¡¡ESTÁ LLENO DE BICHOS!!

日日夜夜雨作罪
念念歩歩前起罪
真言威力留消滅
命終決定生極楽

LA LÁMPARA
IRÁ HASTA EL
OTRO LADO
ELLA SOLA

¡¿CÓMO
PIENSAS
HACER
ESO?!

¿TE
VALE
UN
DIBUJO?

¡¿TE IMPORTA
EXPLICARLO PARA
TONTOS?!

CREO
QUE YA LO
TENGO.

AH,
VALE...

¿EH?

MORI-
YAMA

SHIMA

YO

IGUAL
ES MÁS
SEGURO
QUE
USAR EL
PUEN-
TE...

EL PANTANO
ESTÁ LLENO DE
BICHOS, PERO NO
CUBRE. ASÍ QUE
SE PUEDE CRUZAR
ANDANDO.

KONEKO

KONEKO
Y OKUMURA
PASARÁN CON
EL CARRO
HASTA LA OTRA
ORILLA.

EL
BRUTO DE
OKUMURA

BICHOS

SI METEMOS A SHIMA ENTRE ESOS BICHOS, NO LO CUEN-TA...

¡¡TEN MÁS CUIDA-DO!!

S... ¡SÍ, LO SIENTO!

SPLOCH

PLEC PLEC

¡POR AQUÍ YA ESTAMOS LISTOS!

¡¡IA-AAGH!! ¡¡HASTA EL RUIDO DA ASCO!!

HAY QUE VER CON EL TÍO...!

NI ME LO CREO...

¡¡NO TAMBIÉN ESTOY A PUNTO!!

CHAC

!

¡VENGA, QUE VA!

¡BO-OOO-OOH!

¡¡KONE-KOMARU!

¡BOOOOOOOH!

¡ÉCHATE A UN LADO, CORRE!

¡¡EN-CÁRGATE DE SHIE-MI!!

TROMP

TROMP

TROMP

PLIC

PLOOONC

¡ESTO NO ES NADA!

¡SI NO HAY OTRA...

¡UOOOOH!

¡¡MALDICIÓN!! ¡¡ME HA COSIDO LOS DOS BRAZOS!!

FLAP

¡¿QU-QU-QU-QUÉ DIABLOS ESTÁS HACIENDO, INÚTIL?!

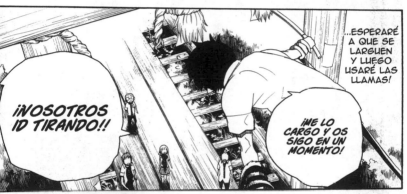

...ESPERARÉ A QUE SE LARGUEN Y LUEGO USARÉ LAS LLAMAS!

¡NOSOTROS ID TIRANDO!!

¡ME LO CARGO Y OS SIGO EN UN MOMENTO!

¡PERDÓN!

¿PIENSAS VOLVER A HACERLO...?

ESPERA...

¡DATE PRISA! ¡YA CASI ES DE DÍA!

¡IDIO- TA!

¡¿NO VES QUE ESTAMOS AQUÍ PARA AYUDARTE?!

QUE SÍ...

¡CON CUIDADO, NO ME LO ROMPAS!

¡¡ID PREPARÁN- DOLO TODO PARA SALIR POR PA- TAS!!

PLAC

¡TRAE ESO AQUÍ, SHIMA!

ZUOOOOOM

PLIC

NAMAH SAMANTA...

...VAJRAA NAAM HAAM.

CHAS

BU-KIIIIK...

ZUOOOOOOM

TRO-TROC TRO-TROC TRO-TROC TRO-TROC

¡¡HAY QUE SALIR DE AQUÍ!!

¡UOOOOOOOOOOOOOH!!

TRO-TROC

SOLO TE HE DEVUELTO EL FAVOR. AHORA ESTAMOS EN PAZ

¿EN PAZ?

...

¡¡GRACIAS POR LO DE ANTES!!

TÚ TAMBIÉN ME ECHASTE UN CABLE EN SU MOMENTO.

MIRA QUE ES DE CRÍOS DECIR QUE TU MAYOR AMBICIÓN ES DESTRUIR A SATÁN.

¡¡¡A SATÁN ME LO CARGARÉ YO!!!

¿¡TÚ ESTÁS LOCO, IDIOTA?!

¡Y SIN EMBARGO NO TUVISTE NINGÚN REPARO EN DECIRLO ALTO Y CLARO!

CHAAAAAAAN

BAH, ES QUE PREFIERO NO PENSAR MUCHO EN ESAS CO- SAS.

...

はあ ARF

ARF はあ

DES- CANSARE- MOS UN RATO.

NO CREO QUE NOS SIGA HASTA AQUÍ.

PERO...

¿SABES? NO CREO QUE TENGAS UN PELO DE TONTO.

...DESCU-
BRIERAN
QUE YO
SOY EL
VÁSTAGO
DE
SATÁN?

PÍO PÍO

TROC

TROC

TROC

¡VENGA,
VENGA!!
¡¡QUE HEMOS
CONSEGUIDO
REGRESAR
VIVOS!!

BUEN
TRABAJO. VEO
QUE HABÉIS
VUELTO DE
UNA PIEZA.

?!

QUÉ
DAÑO...

¿TE PASA
ALGO?

BUF...

QUÉ
MIEDO...

¿QUÉ ES
LO QUE
PASARÍA?

¿EH?

TARDONES...
ERA TAN FÁCIL
COMO PEDIRLE A
UN FAMILIAR QUE
HICIERA EL TRA-
BAJO POR TI.

¿EH...?

AUNQUE
TAKARA HA
TARDADO
INCLUSO ME-
NOS QUE
YO...

¡¡VENGA
YA!! ¡¿VO-
SOTROS
TAMBIÉN
HABÉIS
PASADO
LA PRUE-
BA?!

...

A ESTE
TÍO NO SÉ
POR DÓNDE
COGERLO...

CAPÍTULO 13:
ALGO BUENO

* BOTÓN DE LA GRAN DERROTA

BLOP BLOP

JU, JU, JU, JU, JU...

YO QUE QUERÍA DISFRUTAR DEL ESPECTÁCULO TOMANDO EL TÉ ELEGANTE- MENTE...

PERO, POR LO VISTO, ME VOY A QUEDAR CON LAS GANAS.

QUIERO LIQUIDARLA.

HM...

ES MÁS DURA DE LO QUE ESPERA- BAS, ¿EH? ¿QUÉ VAS A HACER, AMAIMON?

ES UNA BARRERA IMPENETRABLE QUE IMPIDE EL PASO A TODO LO DEMÁS.

EL CÍRCULO MÁGICO PROTE- GERÁ A TODO EL QUE SE ENCUENTRE EN SU INTERIOR EN EL MOMENTO DE TRAZARLO.

POR EL MOMENTO ESTAMOS A SALVO...

BUF...

QUE SÍ, QUE SÍ... ME AGUANTO LAS GANAS.

NI HABLAR. SI INTENTAS LIQUIDAR AUNQUE SEA A UNO DE ELLOS...

...ANTES TE LIQUIDO YO A TI.

EL ENTRENAMIENTO HA TERMINADO.

A PARTIR DE AHORA NOS PREPARAREMOS PARA EL ATAQUE DE AMAIMON.

¡ESO ES LO DE MENOS! ¡¿QUIÉN ES LA CRIATURA QUE NOS ACABA DE ATACAR?!

¡¿UNA BARRERA IMPENETRABLE...?!

SE ESTÁN PASANDO UN POCO, ¿NO?

¿ESTO TAMBIÉN FORMA PARTE DE LA CONCENTRACIÓN?

VOY A PROTEGEROS CON AGUA BENDITA DE DENSIDAD CCC. ¡ESPABILANDO, TODOS AQUÍ!

¿QUÉ...? A... AMAI...

¿EL REY DE LA TIERRA, UNO DE LOS OCHO BAAL O REYES DEMONIO?

¡¿ESE AMAIMON?!

¡¿AMAI-MON?!

¿DÓNDE SE HA VISTO ESO?! ¡¿ALERGIA AL AGUA BENDITA?!

DIGAMOS QUE TIENE ALERGIA AL AGUA BENDITA.

...

ES QUE...

¡¿Y OKUMURA?! ¡¿SE ENFRENTA A PELO CONTRA ESE DEMONIO?!

VALE.

HASTA QUE EL AGUA BENDITA SE SEQUE

CUALQUIER ATAQUE QUE RECIBÁIS SE VERÁ REDUCIDO.

PLOP

AGUA BENDITA

PLOP

¿EH?

LE HE DICHO QUE SE LARGUE, ESE CHICO ES UN INCORDIO...

¿CÓMO DECIRLO...?

AH...

¿DÓNDE SE HA METIDO YUKIO?

¿EH?

...

¡BANG!

KIIIII...

¡BANG!

BU-KIIIK...

¿QUÉ SIGNIFICA ESTO...?

LOS CHÓNG ZHÌ DE ESTE BOSQUE ESTÁN CONTROLADOS POR LOS TAMER. DEBERÍAN OBEDECER A LOS EXORCISTAS...

¡¿SE PUEDE SABER QUÉ ESTÁ PASANDO?!

¿QUÉ SERÁ, SERÁ...?

...

DE LOS CABALLEROS LA VERA CRUZ

¡HOP!

¿CUÁL ES EL OBJETIVO DE AMAIMON?

ESTOY INTENTANDO LLAMAR AL PUESTO DE EMERGENCIA Y A LOS PROFESORES, PERO NO HAY MANERA...

ESTA BARRERA ESTÁ CONSTRUIDA PARA QUE NI SIQUIERA ALGUIEN COMO AMAIMON PUEDA ATRAVESARLA ASÍ COMO ASÍ.

¿TE CREES QUE NO LO SÉ? CALMA...

ABAJO, SIÉNTATE...

AUNQUE ME PARECE QUE ESTA VEZ VIENE MÁS PREPARADO QUE EL OTRO DÍA.

CHAAAN

OYE.

NO SÉ QUÉ MOSCA LE HABRÁ PICADO A ESE TÍO.

¡¡PERO CREO QUE VIENE A POR MÍ!!

...COGE LA KOMAKEN Y SAL DE AQUÍ ECHANDO LECHES.

CUANDO VUELVA A ACERCARSE CON ALGÚN TRUCO...

?!

¿LA KOMAKEN...?

DESCIENDE A LA LEJANÍA Y LLEGARÁS A SU LADO.

?!

ZUM-

ZUM

ZUM

?

TOMA.

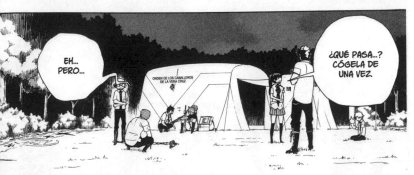

EH... PERO...

¿QUÉ PASA...? CÓGELA DE UNA VEZ

ORDEN DE LOS CABALLEROS DE LA VERA CRUZ

¿HUM?

Y TAMBIÉN TE DIJE QUE YO DECIDIRÍA SI QUERÍA DE-VOLVÉRTELA.

ME... ME DIJISTE QUE SI QUERÍA RECUPERARLA ANTES TENDRÍA QUE CONVEN-CERTE.

CON LO QUE ME LLORABAS EL OTRO DÍA PARA QUE TE LA DIERA... ♪

¿LA VAS A COGER DE UNA VEZ O QUÉ?

MYA, JA, JA, JA, JA...

QUE YO TE LO HE ADVERTIDO, PERO TÚ BIEN QUE LAS HAS USADO.

ME-JOR CIERRA LA BO-QUITA, ¿EH?

AUGH!

¡¡...!!

¡¿A QUÉ VIENE ESTO?! ¡¿AHORA QUIERES QUE USE LAS LLAMAS?!

¡¡SI ANTES ME HAS DICHO QUE NO SE ME OCURRA HACERLO NI LOCO!!

A LO QUE ÍBAMOS.

VALE, AHORA MÍRATE AL ESPEJO...

...Y DIME CÓMO NARICES PIENSAS LU-CHAR SIN ESE PODER.

A VER SI APRENDE-MOS A USAR LA CABEZA.

AMAIMON NO ES SIMPLE MORRALLA.

¡¡PIENSA!!

¡¿MORI-YAMA?!

!!!

¡¿QUÉ LE HAS HECHO A LA CHICA?!

¡SHIEM!!

¡IIIIH!!

FIOOOOH

EJÉ...

FSHUUU

A PARTIR DE AHORA, LA CHICA HARÁ TODO LO QUE YO LE DIGA.

¿HUM?

HE HECHO QUE UNA DE LAS HEMBRAS PONGA SUS HUEVOS EN ELLA, NADA MÁS.

ZUUUM

SE HA TARDADO BASTANTE EN COMPLETAR LA INCUBACIÓN Y EXTENDER LOS PARÁSITOS HASTA EL SISTEMA NERVIOSO.

¡¿QUÉ VAS A HACERLE A SHIEMI?!

¡¡YA ES LA SEGUNDA VEZ QUE APARECES!! ¡¿QUÉ ES LO QUE QUIERES?!

¡¡ESPERA!!

¡HOP!

PUES NO LO SÉ...

A VER, A VER...

¡HOP!

¡¿QUÉ?!

ME LA QUEDO PARA MÍ. SERÁ MI FUTURA ESPOSA.

YA LO TENGO.

CUANTO ANTES MEJOR, A VER ESOS VOTOS...

EN LA SALUD Y EN LA ENFERMEDAD...?

Y EN LA ADVERSIDAD

...EN LA PROSPERIDAD,

¿PROMETES SERME FIEL...

CREEEENC

CREEEENC

SE...
RÁ...

¡¡ESPERA!!

¡¡ES PARA MATAR-LO!!!

¡¡NO SALGAS!!

!!

TAP

NAMOS, BON! ¡TRAN-QUILÍ-ZATE!

NGH

¡¡BON!!

¡¡NO LO HA-GAS!!

¡NOS HAN DICHO QUE NO SALGA-MOS DEL CÍRCULO POR NADA DEL MUN-DO!

¿¿EN QUÉ ESTÁS PEN-SAN-DO?!

¡¡BON!!

TAP

¡¡POR MÍ PUEDES METERTE TUS CONSEJOS POR DONDE TE QUEPAN!!

¡¡AHORA MISMO LLEVO UN CABREO ENCIMA QUE ESTOY QUE MUERDO!!

GRRRR

GRRRR

...

¡¡SHIMA!!

¡¡NO LO HAG...!! ¡¿QUÉ PASA?! ¡¿ES QUE SE HAN VUELTO TODOS LOCOS?!

LO SIENTO, PERO YO NO PIENSO PALMARLA EN UN SITIO ASÍ...

¡VAN LISTOS SI CREEN QUE LOS VOY A SEGUIR!

¡VUELVE AQUÍ!

¡¡OS MATARÁN A TODOS!!

¡ESTOY RODEADA DE IDIOTAS!

¡NO ME LO PUEDO CREER!

¡¿SERÁ UNA BROMA?!

¿¡QUÉ!?

¡¡...!!

TAP

¡¡MUÉRETE...!!

HUM... CREO QUE A ELLA NO LA VOY A NECESITAR MÁS.

PUES VAYA.

QUÉ RARO, ¿NO? YO PENSABA QUE ESTA CHICA SIGNIFICABA MÁS PARA TI.

TAP

TAP

TAP

ES QUE TENGO UN PRIMO QUE SE DEDICA A COLECCIONAR GLOBOS OCULARES, ¿SABES? LE GUSTAN ESAS COSAS.

AUNQUE YA QUE ESTÁ AQUÍ, POR LO MENOS APROVECHARÉ PARA SACARLE UN OJO.

NI... ?!

¡UAAAH!

¡¡KONE-
KOMARU!

PLIC

CREC

¡¿OS
ESTÁIS
RIENDO
DE MÍ?!

カ゛

AGGGH

BGH...

GH...

!!!

¡¡...ES OKUMURA!!

TÚ NO ME INTERESAS.

EL QUE HA CONSEGUIDO CABREARME DE VERDAD...

TODOS PENSÁBAMOS QUE ERAS UN INÚTIL, PERO A LA HORA DE LA VERDAD BIEN QUE TE LUCES.

PARECÍA QUE IBAS A TU BOLA Y LUEGO RESULTA QUE ARRIESGAS TU VIDA PARA SALVARLOS.

ES LO MISMO QUE HAS HECHO DESDE EL PRINCIPIO...

¡¿DE QUÉ VAS?!

¡NO SABEMOS NADA DE TI...!

YO...

YO SOY...

¡¿QUIÉN ERES?!

TE LO ADVIERTO. NO ME GUSTA QUE PASEN DE MÍ.

¿QUÉ ESTÁS DICIENDO, CHAVAL?

¡COFF!

¡¡DÉJALO!!

CHICOS...

...

SI QUIERES CARGARTE A SATÁN...

SUÉL-TALO...

FRUP

TODOS SON BUENA GENTE.

¡OLVI-DAS QUE TIENES COMPA-ÑEROS!

NO SE SAL-VA NI UNO...

...NO CREO QUE PUEDAS HACERLO SOLO.

MÍ-RA-LO...

¡¡RIN!!

YO...

FSHUOOOOOO

¡¡VEN!! ¡ENFRÉN-TATE A MÍ!

¿¡...?!

¡JA, JA, JA!

¿EH?

UNA... ESPADA DEMONÍACA... ESTÁ MALDITA...

¡ES KURIKARA!

GR...RAAAAH!

FRAS

¡UOOOOOH!

ZUUUUUM

PLONC

¡UEGH!

JA, JA, JA...

MUY BONITO.

DUUUUSH

GH...

SUPONGO QUE DE AHORA EN ADELANTE LO RECORDARÁS.

LA COLA ES UNO DE LOS PUNTOS MÁS SENSIBLES PARA UN DEMONIO. GUÁRDATELA COMO UN CABALLERO, ANDA...

AÚN TE QUEDA MUCHO QUE APRENDER.

EMPEZANDO POR TUS PROPIOS DESEOS...

OYE, QUE ME ESTABA ENFRENTANDO A LA MASCOTA DE AMAIMON.

PERO HA DESAPARECIDO DE REPENTE Y HE VUELTO CORRIENDO.

¡¿QUÉ PASA?!

¡¿DÓNDE NARICES TE HABÍAS METIDO?!

RUUUC

¡OH, YUKIO! ¡POR FIN TE ENCUENTRO!

TOCA RETIRADA.

AL GRANO, HAY QUE LARGARSE DE ESTE BOSQUE YA MISMO.

ESTOY DESEANDO VER QUÉ ES LO QUE PASA.

DE BUENA PIEZA SE HA ENCARGADO SHIRO DURANTE ESTOS AÑOS.

...ENCAUZAN SUS ACCIONES POR LA VÍA DE LA MEDIDA, LO QUE LOS HACE VULNERABLES.

LOS DEMONIOS SON CRIATURAS QUE EXPLORAN EL CAMINO DE LOS PLACERES PROHIBIDOS, EN TANTO QUE LOS HUMANOS...

VEAMOS...

...POR QUÉ SENDA TE DECANTAS.

?!!

SE ACABÓ. ☆
HASTA AQUÍ
HEMOS
LLEGADO.

SI
OS PERMITO
SEGUIR, MI
INSTITUTO
ACABARÁ RE-
DUCIDO A
CENIZAS.

POR HOY
DEJAREMOS
LOS JUEGOS
AQUÍ.
☆

PLOC

¡¡HER-
MANO!!

PLOOM

PO-POF

ABRA-
CADABRA.
☆

¡¡GRRR!!
¡¡GRRR!!

¿EH?

¿NOS
VAMOS,
OKUMURA?

ARF

AFH
AFH

PUES...

NADA.

FSHUOOOOO

EL PODER DE LAS LLAMAS LO ESTÁ ABSORBIENDO POR COMPLETO.

HAY QUE VER LO QUE CUESTA CUIDAR DE TUS HERMANOS PEQUEÑOS.

BOOOOOM

!!!!

CAPÍTULO 14:
LA APUESTA

CUANDO LLEGUE LA BRIGADA DE BOMBEROS, RECOMIÉNDALES QUE USEN AGUA BENDITA PARA EXTINGUIR LAS LLAMAS.

BOURGUIGNON, ENCÁRGATE DE VIGILAR A LOS ESCUDEROS E INTERRÓGALOS.

SÍ.

POR AQUÍ DEBERÍA HABER ALGÚN TANQUE CON AGUA BENDITA DE DENSIDAD A.

Y PASAD POR EL ESCUADRÓN MÉDICO PARA QUE LES ECHEN UN VISTAZO.

DATE PRISA.

¿QUIÉN ES ESE?

FIOOOOH...

BUENOS DÍAS, CHICOS.

ME LLAMO ARTHUR AUGUSTE ANGEL Y SOY UN EXORCISTA SUPERIOR DE PRIMERA ENVIADO POR EL VATICANO.

HMPF.

¿ME PUEDES EXPLICAR AHORA QUÉ ES TODO ESTO?

NO TE OLVIDES, SHURA, TAMBIÉN SOY TU SUPERIOR INMEDIATO.

¡¿EH?!

ES EL NUEVO PALADÍN QUE ACABAN DE NOMBRAR.

...QUE HAS COLOCADO A ALGÚN OTRO ESPÍA APARTE DE MÍ.

YA, YA... AUNQUE ME PARECE...

TU MISIÓN CONSISTÍA EN INVESTIGAR LA SUPUESTA CON-FABULACIÓN...

EN FIN...

SI NO ME EQUIVOCO, TAMBIÉN TENÍAS OTRA IMPOR-TANTE MISIÓN ENTRE MANOS.

...ENTRE EL DIFUNTO SHIRO FUJIMOTO Y MEPHISTO PHELES E INFORMARNOS DE TUS DESCU-BRIMIENTOS.

¿POR QUÉ TE EMPEÑAS EN PROTEGER AL VÁSTAGO DE SATÁN?

SHURA.

TSK.

DUUUUUM

¿ACASO HAS DECIDIDO UNIRTE A MEPHISTO?

...

NO ME DIGAS...

¿EN UN PRINCIPIO NO TE HABÍAS OPUESTO A ELLO TAJANTE-MENTE?

¿EH?

NI LOCA LO HARÍA.

SI NO ME EQUIVOCO, EL PADRE FUJIMOTO TE ENCARGÓ QUE LE ENSEÑARAS A CONTROLAR ESA ESPADA DEMONÍACA.

¿TODO ESTO POR EL PALADÍN MÁS INCOMPETENTE QUE HA TENIDO LA ORDEN DESDE SUS COMIENZOS?

...QUE DE REPENTE HAS QUERIDO HACER REALIDAD LA VOLUNTAD DE TU DIFUNTO MAESTRO.

¿QUÉ ESTUPIDECES DICES?

¡¡PELÓN!!

ALGUIEN COMO TÚ, QUE SE HA PASADO TODA LA VIDA METIDO EN UNA BURBUJA, JAMÁS LO ENTENDERÍA.

SÍ.

ENTIENDO.

?!

AUNQUE SE TRATE DE TI...

LAS ÓRDENES DE LOS GRIGORI SON ABSOLUTAS.

GRRR...

ÑGH

¡¡...!!

¿EH? ¿EH? ¿PELÓN? ¿ME HAS LLAMADO PELÓN?

¡¿TÚ SABES LO QUE SIGNIFICA ESO?! ¡AY, AY, QUÉ GRACIA!

HE RECIBIDO UN MENSAJE DE LOS GRIGORI.

SE PROCEDERÁ DE INMEDIATO AL JUICIO CONTRA EL MANDAMÁS DE LA DIVISIÓN JAPONESA DE LA ORDEN: MEPHISTO PHELES.

EL VÁSTAGO DE SATÁN NOS ACOMPAÑARÁ A MODO DE PRUEBA.

ZUM

CHAAAN

...

SHURA.

TÚ TAMBIÉN VENDRÁS COMO TESTIGO.

¡MARAVILLOSO! ESTOY DESEANDO QUE EMPIECE. ☆

ÄGH

CHASC

POM

SOY PROFESOR DE QUÍMICA DEMONÍACA.

YO SOY SU RESPONSABLE.

A LA ORDEN.

¡BOURGUIGNON! ¡LLÉVATE A LOS ESCUDEROS!

¡ES VERDAD! LOS CHICOS...

DE ACUERDO.

¡CHICOS, ACOMPAÑAD A VUESTRO PROFESOR!

PASAREMOS PRIMERO POR LA ENFERMERÍA...

SUGU-RO...

¡¿ESTÁIS TODOS BIEN?!

RIN...

AHORA TENÉIS QUE TRANQUILIZAROS Y VENIR CONMIGO.

DESPUÉS OS LO EXPLICARÉ.

FRUP

!

¿QUÉ TE PASA?

¡¿TE HAN HECHO DAÑO?!

SHI... SHIEMI...

TÚ... ESTÁS BIEN, ¿VERDAD?

YA, CLARO... ASÍ NO CONVENZO A NADIE, ¿VERDAD?

JA JA JA

NO ES PARA TANTO, MUJER. TÚ MÍRAME: SOY COMO UNA PERSONA NORMAL Y CORRIENTE.

NO LE HAGAS CASO... EL IDIOTA DE SUGURO ESTÁ EXAGERANDO.

FLAP

FLAP

RUC

AGH

RUC

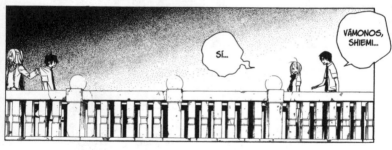

SALDREMOS POR LA "PUERTA DE LOS ACU- SADOS", EN EL JUZGADO DE LA ÓPERA.

CHAC

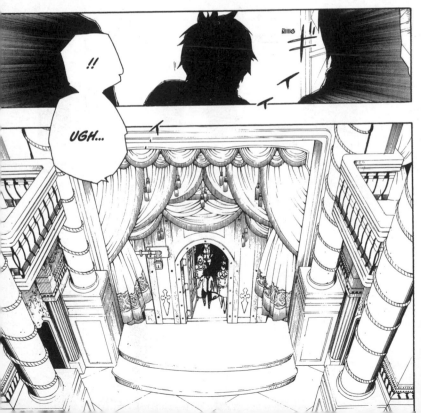

!!

UGH...

ESE SOY YO, ¿VERDAD?

¿EL ACUSADO?

LA, LA, LA...

¡SILENCIO EN LA SALA!

¡PLONC! ¡

¡PLONC!

¡PLONC!

QUE EL ACUSADO SUBA AL ATRIL.

EL JUICIO CONTRA EL ACUSADO MEPHISTO PHELES, MÁXIMO RESPONSABLE DE LA DIVISIÓN JAPONESA DE LA ORDEN...

¡¡...COMENZARÁ INMEDIATAMENTE!!

...Y ARTHUR AUGUSTE ANGEL

PALADÍN Y EXORCISTA SUPERIOR DE PRIMERA.

EL INTERROGATORIO

CORRERÁ A CARGO DE MI PERSONA, TIMOTÉ TIMOWAN, JEFE DEL EJECUTIVO LEGAL DE LA ORDEN...

...MÁXIMOS CONSEJEROS DE LA ORDEN, PRESIDEN EL JUICIO.

LOS GRIGO-RI...

ASÍ ES.

SEÑOR PHELES, ¿SERÍA TAN AMABLE DE DESCRIBIRNOS LO QUE VE AQUÍ?

AQUÍ EXPONEMOS UNAS IMÁGENES DE LO ACONTECIDO HACE ESCASOS MOMENTOS EN LOS TERRENOS DEL INSTITUTO VERA CRUZ, PROPIEDAD DE LA DIVISIÓN JAPONESA.

FRUP

¿EL QUE APARECE EN PANTALLA NO ES EL MISMO DEMONIO QUE ESTÁ AHÍ ARRODILLADO?

RUEGO QUE LOS REUNIDOS EN LA SALA LO OBSERVEN CON ATENCIÓN.

¿ESE DEMONIO ES VÁSTAGO DE SATÁN?

RESPONDA CON FRANQUEZA.

NO EXORCIZÓ MEDIANTE LA KOMAKEN AL VÁSTAGO DE SATÁN QUE HACE 15 AÑOS ALBERGABA EN SU INTERIOR LA EXORCISTA INFERIOR DE SEGUNDA YURI EGIN.

ES DECIR, QUE EL PADRE SHIRO FUJIMOTO

EFECTIVAMENTE.

BLA

BLA

BLA

BLA

LA INFORMACIÓN QUE SE NOS COMUNICÓ ERA FALSA.

PUEDO ASEGURARLO.

BLA

LA FUENTE DE LAS LLAMAS QUE ENVOLVÍAN AL CHICO SE HALLA EN SU CORAZÓN DE DEMONIO...

ESTE ES EL ÚNICO QUE TIENE ESE PODER.

BLA

LA MUJER DIO A LUZ A DOS GEMELOS DICIGÓTICOS.

ASÍ ES.

BLA

QUE YO MISMO ME ENCARGUÉ DE SELLAR EN LA ESPADA KOMAKEN.

UNO DE ELLOS NO HEREDÓ LAS LLAMAS DE SATÁN.

...HASTA QUE CONCLUYERAN LOS PREPARATIVOS Y EL VÁSTAGO PUDIERA ACEPTAR EL PODER DE LAS LLAMAS.

SHIRO FUJIMOTO SE OCUPÓ DE CRIARLO EN SECRETO...

¡¿QUÉ ES LO QUE PRETENDÍA CONSE-GUIR, SEÑOR PHELES?!

¿CON QUÉ OBJETIVO?

UN ARMA CON LA QUE ENFREN-TARNOS A SATÁN.

ES SOLO UNA MUESTRA DE LOS HALAGOS QUE LOS DE SU ESPECIE SON TAN DIESTROS EN PRODIGAR.

¡QUE NADIE OLVIDE LA VERDADERA NATURALEZA DE ESTE HOMBRE!

¡NO DEBEMOS DEJAR QUE ESTE EMBUSTERO NOS ENGAÑE!

TENÍAS RAZÓN...

¡EL ACUSADO ES CULPABLE DE CONSPIRAR JUNTO A SHIRO FUJIMOTO

ERA DEMASIADO PRONTO PARA DESENVAINAR LA ESPADA, YUKIO...

BLA

¡¡ESTA ES LA VERDAD INEXORABLE!!

Y CRIAR AL VÁSTAGO DE SATÁN EN LA SOMBRA!

BLA

BLA BLA

CON LO MUCHO...

QUE TÚ ME LO HABÍAS ADVERTIDO...

ESTÁBAMOS ESPERANDO QUE LLEGARA EL MOMENTO OPORTUNO.

HAN ENGAÑADO A LA ORDEN Y HAN TRATADO DE DERROCARLA DESDE DENTRO.

MIERDA...

...UN VÁSTAGO DE SATÁN?!!

¡¿QUÉ HACE EN LA ACADEMIA...

¡¡YO NO LE VEO LA GRACIA!!

MIERDA...

ÑGH...

BLA BLA

ES CIERTO.

SIN EMBARGO...

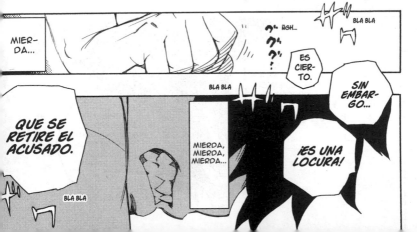

QUE SE RETIRE EL ACUSADO.

BLA BLA

MIERDA, MIERDA, MIERDA...

¡ES UNA LOCURA!

BLA BLA

NO OBSTAN- TE...

...SU ALIANZA CON LA ORDEN SE REMONTA A HACE YA DOS SI- GLOS, Y LOS SERVI- CIOS PRESTADOS LE HAN VALIDO NUESTRA CONFIANZA.

...Y NO PODEMOS DESPEJAR LAS SOSPECHAS DE TRAICIÓN QUE RECAEN SOBRE EL SEÑOR PHELES.

NOS ENCONTRA- MOS ANTE UN PROBLEMA SIN PRECEDEN- TES...

LA CUESTIÓN ES SI ACEPTAMOS LA "APUESTA" QUE NOS HA OFRECIDO.

LA RESPUESTA SE DECIDIRÁ POR MAYORÍA.

LA PRIMERA CONDI- CIÓN...

...ES QUE APRUEBE EL EXAMEN PARA OBTENER EL GRADO DE EXORCISTA DENTRO DE SEIS MESES.

PLOC

PLOC

PLOC

PLOC

PLOC

¿A ESO LO LLAMAS TÚ TOLERANCIA? ALGO TRAMAS, SEGURO...

PLOC

NO TE LO PIERDAS...

☆

HEMOS TENIDO QUE ACEPTAR UN MONTÓN DE CONDICIO-NES...

PERO DEBERÍAS ESTAR CONTENTO POR LA TOLERANCIA QUE SE TE HA MOSTRADO.

POR FAVOR, SHURA.

¡¡¡TIENES QUE EN-SEÑARME A MANEJAR LA ESPADA!!!

¡¡AUNQUE SOLO SEA DURANTE SEIS ME-SES!!

PLONC

EL PADRE FUJIMOTO TE ENCARGÓ QUE LE ENSEÑARAS A CONTROLAR ESA ESPADA DEMONÍACA.

BLAM

¡PERDONA, RIN! SE ME HA HECHO TARDE.

DATE PRISA. SHURA YA ESTARÁ ESPERANDO...

?!

FRAP

...

BLUE EXORCIST - CAPÍTULO 15 : TAL PARA CUAL

BLUE EXORCIST - CAPÍTULO 15 : TAL PARA CUAL

A KONEKO LO OPERARON AYER Y AHORA ESTÁ INGRESADO.

SE HA ROTO EL ANTEBRAZO IZQUIERDO Y TARDARÁ UNAS CUATRO O CINCO SEMANAS EN RECUPERARSE DEL TODO.

BLA

ENTRADA ⇒

⇐ MEDICINA EXTERNA INTERNA

⇐ RECEPCIÓN

BLA

BLA

HOLA, MAMÁ.

ES QUE ME PILLAS EN EL MÉDICO.

SÍ, BON ESTÁ BIEN.

EN CUANTO AL INCENDIO FORESTAL QUE SE HA REGISTRADO A PRIMERA HORA EN EL PUEBLO DEL INSTITUTO VERA CRUZ DE TOKIO, LOS VECINOS DE LOS ALREDEDORES HAN DECLARADO QUE...

BLA

BLA

AUNQUE DICEN QUE LE DARÁN EL ALTA EN UNA SEMANA...

YA VES.

ENTRE LOS ESPECIALISTAS DE LA POLICÍA COBRA FUERZA LA HIPÓTESIS DE QUE PODRÍA TRATARSE DE UN INCENDIO ESPONTÁNEO...

¡¡NI SIQUIERA ME LLAMASTE EN MI CUMPLEAÑOS!!

¡¿EH?! ¡¿Y TU PROPIO HIJO QUÉ?!

¿CÓMO PUEDES SER TAN CRUEL?

BUENO... MÁS QUE LA HERIDA DE LA GARGANTA...

YA, QUE TE CUENTE LO DE BON...

QUE YO TAMBIÉN ME HE ROTO UN PAR DE COSTILLAS Y ME CUESTA RESPIRAR...

¿Y POR AHÍ QUÉ TAL? ¿CÓMO VAN LAS COSAS POR CASA?

...ES QUE LE HA PASADO ALGO UN POCO FUERTE Y AÚN NO SE HA RECUPERADO.

¿EH?

ESPERO QUE EL ABAD Y LA SEÑORA ESTÉN BIEN.

¿LO DICES EN SERIO?

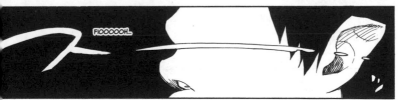

FIOOOOOH...

TCHAC

VALE.

AFH.

¡¡HOLA A TODOS!!

AHÍ VA.

¿EH?

¡¿EN SERIO?!

HOY NO HAN VENIDO. LES ESTÁN HACIENDO UNA REVISIÓN EN EL HOSPITAL...

ADEMÁS, MIWA ESTÁ INGRESADO.

¿DÓNDE SE HA METIDO LA PEÑA DE KIOTO...?

QUÉ POCA GENTE...

¿QUÉ TE PASA...?

¿TE SIGO DANDO MIEDO?

...

PLOF

!!

ESPERO QUE NO SEA NADA GRAVE.

¡¡NO ES VERDAD!!

TCHAC

¡...!

¡MIRA DÓNDE ESTABA!

RIN...

¡¡OKU-MURA!!

ES QUE... NO ES QUE QUIERA QUE PIDAS PERDÓN...

NO... NO ES ESO...

¿¡Y POR QUÉ ESTÁS TAN CABREADA, EH?!

¡¡SI QUIERES PIDO PERDÓN Y TAN TRAN-QUILOS!!

PARA SER SINCERO, YO TAMPOCO LO ENTIENDO.

ZUUUUM

LO SIENTO, YA OS HE CONTADO TODO LO QUE SÉ.

...

¿Y ESO?

¿PARA QUÉ LO CRIARON?

...NOS CONTÓ LO QUE PASA CON RIN COMO SI FUERA UNA DE SUS CLASES.

YUKI...

EH, PERO...

¡COF, COF!

YO...

...HE ESTADO A SU LADO TODO ESTE TIEMPO Y NO SABÍA NADA DE NADA.

NADA
DE
NADA...

...

BUF...

EH,
QUE YO SOLO
QUERÍA ACLARAR
LAS COSAS CON
ELLOS...

YA NO
TE DEJAN
MOVERTE A
TU AIRE.

QUE
NO SE TE
OCURRA SALIR
DE NUEVO SIN
ESCOLTA.

¿EH?
NO ME LO
ESPERA-
BA...

NADA,
OLVÍDALO.

¿Y
QUÉ?

A PARTIR
DE AHORA
ESTUDIARÁS
AQUÍ.

PASA.

GRRR

...

¡PERO
ESA CABE-
ZONA DE
SHIEMI...!

¡¡YA
NO SÉ QUÉ
HACER!!

ES LA
PRIMERA VEZ
QUE LA VEO GRI-
TANDO A ALGUIEN
QUE NO ES DE
SU FAMILIA.

OYE, ¿QUÉ NARICES TE PASA? LLEVAS DÍAS CABREADO.

DIEZ SEGUNDOS PARA EL INICIO.

HA ELEGIDO EL NIVEL PRINCIPIANTE.

AH...

PLOM

CHAAAAN

¡¡UOH!!

PLONC

YO NO ESTOY CABREADO.

FRUUUUM

SOLO NACISTE UNAS HORAS ANTES QUE YO, NO ME VENGAS AHORA HACIENDO DE HERMANO MAYOR.

...CUANDO MI HERMANITO SE REBOTA?

VENGA, OTRA RONDA...

ANDA QUE NO.

¿CREES QUE NO ME ENTERO...

BIP

PARA VARIAR, PODRÍAS TOMARTE LAS COSAS UN POCO MÁS EN SERIO.

ARF

ARF

¿AÚN NO ERES CONSCIENTE DE QUE TUS ACCIONES TIENEN CONSECUENCIAS IMPORTANTES?

TSK.

NO ME VENDAS LA MOTO, ANDA.

¡¡MALDITA SEA!! ¡YA ESTAMOS!

PLOC

GH...

¿¿MÁS EN SERIO?!

PLOC

YO TENGO UNA HORA LIBRE HASTA MI PRÓXIMA CLASE. SI NO OS IMPORTA, ME QUEDARÉ A MIRAR.

BUE-NO...

¿QUÉ, PREOCU-PADO?

PARA NADA...

¡SERÁ MENTI-ROSO EL TÍO!

¡LO ENTIENDO!

A PARTIR DE AHORA NO PODRÁS HACER NADA SIN NOSOTROS DELANTE.

LO ENTIENDES, ¿VERDAD?

¿QUÉ SE SUPONE QUE TENDRÉ QUE HACER EN ESTA CLASE?

ACOSTUM-BRARTE A LAS LLAMAS.

HE TRAÍDO UNAS CUANTAS VELAS EN ESTA BOLSA.

¿VELAS?

¡FHSUO!

ÑIIIG

ESO ES. EMPEZA- REMOS COLO- CANDO TRES EN FILA.

...Y PRENDER FUEGO DE MANERA SIMULTÁNEA A LAS DOS DE LAS ESQUINAS.

TÚ TENDRÁS QUE OLVIDARTE DE LA DEL CENTRO...

¡ENTEN- DIDO!

¡AL ATAQUE!

PAM

DEBERÍAS SER CAPAZ DE USAR LAS LLAMAS SIN TENER QUE DESENVAI- NAR.

...

HUM...

...

¡HUM...!

PLAM

¡HUUUUUM!!

MGH... GHUO...

GGGGH... ÑGGGGH... GH...

NUOH!

SHAAA

FSHUOOOO

TE HE DICHO QUE LAS ENCIENDAS, NO QUE LAS DERRITAS.

JUO, JO, JO.

...

NO VALE, TAMBIÉN LE HAS DADO A LA DEL CENTRO.

FSHUOOO

VERA CRUZ

FSHUOOO

NO VALE PRIMERO UNA Y LUEGO LA OTRA...

¿EN SERIO LO ESTÁS INTENTAN-DO?

FSHUOOOO

VERA CRUZ

VERA CRUZ

¡¡OTRA VEZ!!

HM...

EN FIN, HARÁS ESTO TODOS LOS DÍAS DURANTE UNA HORA CON UN MÍNIMO DE TRES JUEGOS DE VELAS.

VERA CRUZ

SEGUIREMOS CON ESTO HASTA QUE SEAS CAPAZ DE HACERLO HASTA HURGÁNDOTE LA NARIZ.

VENGA... AHORA ESTÁS HACIENDO UNA MONTAÑA DE UN GRANO DE ARENA.

¡¡AAARGH!! ¡¡NO HAY MANERA!!

EH, QUE NO ERES UN LANZA-LLAMAS...

¡¡NOOÒOOOOGHA!!

¿ENTONCES SOLO TENGO QUE HACER ESTO?

AJÁ.

EHM...

EL RESTO DEL TIEMPO LO PASARÁS ENTRENANDO TU CUERPO Y FORMANDO TU MENTE.

NO PUEDES DEJAR QUE SU PODER TE AVASALLE.

HOMBRE, PUES...

A VER... ¿TIENES IDEA DE POR QUÉ TE CONTROLAN LAS LLAMAS CUANDO DESENVAINAS?

¿¿Y LA ESPADA QUÉ?!

PORQUE TIENES MIEDO.

¡¡NO HAY TIEMPO!!

SI TE ACOSTUMBRAS A USARLAS, AL MENOS TENDRÁS UN POCO DE CONFIANZA.

ENTONCES TE PONDRÁS CON LA KO-MAKEN.

ESTA TÍA ES UN HACHA.

E... ES CIERTO... TIENE TODA LA RAZÓN.

D... DE ACUERDO.

¿EHM?

¿EL QUÉ? NO TENGO LA MENOR IDEA DE LO QUE ME ESTÁS HA-BLANDO.

PLOM

LO QUE HAY QUE AGUANTAR...

¿QUÉ ME DICE EL OSO MIEDOSO DE LOS ANTEOJOS, EH, YUKIO?

NOS QUEDAMOS CON LAS MISMAS REGLAS QUE HACE CINCO AÑOS, ¿VALE?

"MODO EXTREMO", POR SUPUESTO.

EL QUE PRIMERO SE DESCONCIERTE PIERDE.

Y LE TOCA PAGAR LA COMIDA...

¡JUSTO!

...

AY... HE PERDIDO LA CUENTA DE TODAS LAS VECES QUE TE HE SABLEADO ASÍ.

¿QUÉ HACES AHÍ PLANTADO?

¡SON ÓRDENES DE UN SUPERIOR!

PLONC

!!

UGH...

¡MYA, JO, JO! ¡HE GANADO, HE GANADO!! ♪

¡TE TOCA INVITARME, MIÉDICA CUATRO OJOS!

PLANCHA

HOP

SI CREES QUE SIGO SIENDO EL MISMO DE HACE CINCO AÑOS, ESTÁS MUY EQUIVOCADA.

JE

¡ENTENDIDO!

JUJU

PERO SI GANO YO, TE CONVERTIRÁS EN EL GATITO MIEDOSO. ♥

CLARO QUE VALE.

TÚ TE PUEDES DIVERTIR CON TUS VELITAS.

¡AH!

¡¿AHORA ENCIMA OS PONÉIS A JUGAR?! ¡¡NO VALE!!

POR MÍ, PERFECTO.

DIEZ SEGUNDOS PARA EL INICIO.

HA ELEGIDO EL MODO EXTRE-MO.

¿EMPE-ZAMOS? ♪

HMG...

CREP CREP

¿CÓMO QUE QUÉ HACEMOS?

NUNCA MEJOR DICHO... ¿QUÉ HACEMOS?

TCHAC

ES IMPOSIBLE QUE APRUEBE ESE EXAMEN DENTRO DE SEIS MESES.

LA VIDA DE MI HERMANO ES COMO UNA VELITA AL VIENTO.

NO ME DIGAS QUE NO TIENES NADA PENSADO.

BANG

BANG

BANG

TCHAC

DESDE EL PRINCIPIO, TUS PLANES...

VUESTROS PLANES HAN IDO ORIENTADOS A QUE ESTO PASARA.

¡NOS HAS ABOCADO AL PELIGRO PORQUE TE HA DADO LA GANA!

ESO ES TODO LO QUE ME HA DADO TIEMPO A PENSAR.

SEGUIR ESCONDIÉNDOLO NO PODÍA SER BUENO NI PARA LA ORDEN NI PARA RIN.

ES LA PRIMERA VEZ QUE OCURRE ALGO ASÍ.

¡¡JURÉ QUE PROTEGERÍA A RIN ANTE LA TUMBA DEL PADRE...!!

...

¿SABES LO QUE SE NECESITA PARA SER UN BUEN EXORCISTA?

¿EH?

ES UNA PARTE IMPORTANTE, SÍ.

PULIR EL CORAZÓN, LA TÉCNICA Y EL CUERPO.

PERO LO MÁS IMPORTANTE ES SER SINCERO CON UNO MISMO Y NO DEJARSE ARRASTRAR POR LAS EMOCIONES.

BANG

POR ESO MISMO...

...DIGO QUE RIN TIENE MADERA PARA CONVERTIRSE EN UN BUEN EXORCISTA.

PORQUE LOS DEMONIOS SE APROVECHARÁN DE LA RABIA CONTENIDA Y EL ESTRÉS QUE HAYAS ACUMULADO.

BANG

?!

SIN EMBARGO, LA GENTE COMO TÚ ES PELIGROSA.

LLEGADO UN PUNTO, SOIS LOS TÍPICOS QUE PODRÍAIS CONVERTIROS EN DEMONIOS.

QUE EN MI OPINIÓN

TU SITUACIÓN ES MÁS PREOCUPANTE QUE LA DE RIN.

¿QUÉ QUIERES DECIR CON ESO?

PERO NO HACE FALTA.

...

HAGO LO QUE TENGO QUE HACER.

VAYA, MUCHAS GRACIAS POR TU PREOCUPACIÓN.

PODRÍAS COMPENSARME AL MENOS CON ALGUNA MUESTRA DE SINCERIDAD, ¿NO?

JU, JU, JU...

AHORA ENCIMA TE CIERRAS EN BAN- DA. COMO PARA QUEDARME TRANQUILA, VAMOS.

ZUIIIN

JU, JU.

ESO ESTÁ MEJOR.

¿UNA MUESTRA DE SINCERIDAD, DICES?

NUNCA TE HE SOPOR- TADO.

BAAAM

BAAAAM

¡¡¡ME CAGO EN TO-DO!!!

?!

FSHUOOO

QU... ¿QUÉ ESTÁ PASAN-DO?

¡¿LLAMAS AZULES?!

CREC

...

CREC

CREC

ESTABA CLARO.

BUF...

¿SÍ? SOY OKUMURA.

BIP

B
Z
Z

NO PODÍA SER UN MIEDICA CUATRO OJOS EL RESTO DE SU VIDA.

CRIII
CRIII
CRIII

HOSPITAL GENERAL DE LA VERA CRUZ

PERDONA.

CRIII CRIII

CRIII

CRIII

CRIII

¡LO SIENTO!

ESO ES VERDAD. COMO NO EMPIECES A CUIDARTE UN POCO MÁS, NOS LLEVARÁS POR LA CALLE DE LA AMARGURA.

NO... ES QUE SI ESTÁIS HERIDOS ES POR MI CULPA.

¿POR QUÉ TE DISCULPAS?

SÍ.

CRIII

CRIII

CRIII

OYE, UNA COSA... ¿ES CIERTO LO DE LA KOMAKEN?

EL PROFESOR OKUMURA TAMBIÉN LO HA DICHO BIEN CLARO.

ESTOY SEGURO.

EL ABAD ME HA ENSEÑADO FOTOS DE ELLA DESDE QUE YO ERA PEQUEÑO.

YO...

AÚN NO TENGO NADA CLARO.

¿EH?

¿TÚ QUÉ CREES, KONEKO-MARU?

¿Y TÚ, BON?

SI HUBIERA SABIDO QUE AQUÍ HAY UNA CHICA TAN GUAPA, ME HABRÍA ROTO LAS COSTILLAS YO SOLITO.

TE PROMETO QUE ALGÚN DÍA ME TENDRÁN INGRESADO, ¿VALE?

BU-BUM

¿¡EH?!

BU-BUM

SHIMA...

?!

NO QUERÍA DECIR ESO. EL PROBLEMA ES QUE...

FRUP

GLUCS...

¡BON! ¡KONEKO! ¡TENEMOS UN PROBLEMA!

EL NIVEL DE LAS ENFERMERAS DEL HOSPITAL...

¿EH? ¿QUÉ HACES?

¿CÓMO...?

EL ABAD NO SE ENCUENTRA BIEN.

QUIEREN VERNOS CON URGENCIA.

AL PARECER UN BLOQUE DE EDIFICIOS EN EL NORTE DEL PUEBLO ESTÁ CONTAMINADO DE HULLAS.

Bip

UNO DE ELLOS HA RECIBIDO UN MASHO Y MÁS DE DIEZ HAN RESULTADO CONTAMINADOS.

EL DAÑO HA EMPEZADO YA A EXTENDERSE A LOS CIVILES.

YO TAMBIÉN EXISTO

YA OS HE DICHO QUE YO NO LA PREPARO.

¡A VER QUÉ CHULAAAA! JIA JIA JIA...

AL DÍA SIGUIENTE...

¿...DE MALTRATAR A PERSONAL?

¿ES UNA NUEVA FORMA...?

QUÉ GANAS DE VER TU FIAMBRERA DE HOY...

¡AY, ÁBRELA YA! ♥

PLAC

BY RIN OKUMURA

¡¡ESTÁIS EQUIVOCADAS!!

EL QUE SABE DE ESO ES RIN.

QUE NO, QUE NO... ¡LA FIAMBRERA LA HA PREPARADO MI HERMANO!

¡¿QUÉEE?!

YO NO TENGO NI IDEA DE COCINAR...

¡¿ESTÁS HABLANDO DE ESE?! ¡¡VENGA YA!!

¡TJAAH! ¡SABE COCINAR!

VE... VENGA, QUE AHORA ME TOCA A MÍ.

BLINK

¡BRAVO! ¡ASÍ SE HACE, YUKIO!

RESPIRA, RESPIRA...

CHAAAN

¡¡POR FIN LA VERDAD HA SALIDO A LA LUZ!!

¿NOS EXPLICAS... QUÉ SIGNIFICA ESTO, OKUMURA...?

CHAAAN...

ざわ...

BSSS BSSS

?!

LA, LA, LA, LA...

PU... PUES...

¿EH?!

¡ARROZ BLANCO CON ALGAS...? ¿QUÉ PONE...?

¿QUÉ ES ESTO?!

¿¡NO SERÁ QUE...?!

AY, AY...

BLINK

¡QUÉ MONO!

¡SE ESTÁ PONIENDO COLORADO!

PERO TAMPOCO HACE FALTA MENTIR.

ENTIENDO QUE QUIERAS SER DISCRETO...

¡NO PUEDE SER!

ALGUIEN ASÍ NO PUEDE COCINAR TAN BIEN.

SI PARECE EL TÍPICO QUE SE METE EN LÍOS CADA DOS POR TRES.

ADEMÁS, AUNQUE LAS CHICAS LO PILLARAN, SEGUIRÍAN SUDANDO DE ALGUIEN QUE PONE SU NOMBRE A UNA FIAMBRERA QUE SOLO LLEVA ARROZ CON ALGAS. Y LO PEOR DE TODO ES QUE POR ESA ESTUPIDEZ ME QUEDO YO COMIENDO ESTA BIRRIA! ¡NO TE APROVECHES DE TU HERMANO, ANDA!!

"BY RIN OKUMURA". ¿QUÉ QUERÍAS, HERMANO? ¿ESCRIBIR TU NOMBRE CON ALGAS PARA QUE TODO EL MUNDO SUPIERA QUE LO HAS HECHO TÚ? SIENTO DESILUSIONARTE, PERO ESO NO HAY QUIEN LO ENTIENDA...

¡TAAAH!

GRRR

グ.

¡¡YO TAMBIÉN ME APUNTO!!

ES QUE YO NO SÉ...

¿UN DÍA DE ESTOS ME ENSEÑAS A COCINAR?

¡¡JO, YO TAMBIÉN QUIERO!!

¡A MÍ TAMBIÉN!

¿EH? ¿ES QUE...?

TIRAS DE CUATRO VIÑETAS

DISEÑO DE ESCENARIOS PRELIMINAR

BOCETO DEL
CUARTO DE LA RESIDENCIA

↑ 爆サイド   ↓ (……)

↓ 雪男サイド

QUERÍA QUE TUVIERA UN AIRE ORIENTAL
Y OCCIDENTAL A LA VEZ. AL FINAL EL CUARTO
SE HIZO UN POCO MÁS GRANDE POR OBRA Y
GRACIA DE MIS AYUDANTES, Y CAMBIAMOS LA
ESTRUCTURA, PERO EN SU ORIGEN ERA ASÍ.

BLUE EXORCIST ✦

BLUE EXORCIST 4

AYUDANTES PRINCIPALES

 NOY A SACAR ENTRADAS! — **SHIBUTAMA**

 ¡AÚN FALTA! — **UEMURA-SAN**

 ¡AL TORO! — **KAMIMURA-SAN**

   ¡ÁNIMO, JEFA! — **KIMURA-KUN**

 YES, MY MASTER... — **HAYASHI-KUN**

  NO QUIERO VOLVER A CASA... — **KAWAMURA-SAN**

   HOY ECHAN UN ESPECIAL DE DORAEMON. — **KIMURA NORI-KUN**

  BOLITAS DE ARROZ... — **MINOTAROSU**

EDITOR AL CARGO

  JIA, JIA, JIA. YA ESTÁ BIEN ASÍ, ¿NO? — JIE JIE — **SHIHEI RIN**

EDITORA AL CARGO DE LA EDICIÓN EN TOMOS

  ¡GRACIAS POR TODO! — **NATSUKI KUSAKA**

ESPERO UN RATITO... — **RYUSUKE KUROKI**

DISEÑO DE PORTADA DE LOS TOMOS

NO LOS HE VISTO. — **HIDEAKI SHIMADA**

ASÍ QUE NO SÉ QUÉ PONER. — **TOMOKO HASUMI (L.S.D.)**

MANGA

 ¿¿EH?! — **KAZUE KATO**

(Sin ningún orden en particular)
(Atención: ¡Las caricaturas las hago de memoria! ¡No se parecen en nada!)

 ¡Espero que leáis también el quinto tomo!

Durante el pasado Salón del Manga tuvimos la oportunidad de hacerle una entrevista a Kazue Kato, y pudimos hacerle algunas preguntas relacionadas con su trabajo para conocer un poco más el mundo de *Blue Exorcist*.

NORMA: ¿Recuerda el primer manga que leyó?
Kazue Kato: El primer manga que leí fue en una revista Ribbon que me compró mi madre. Se titulaba *Neko Neko Fantasia*.

N: ¿Cuándo decidió convertirse en autora de manga?
KK: Fue precisamente al leer ese manga, *Neko Neko Fantasia*. Desde muy niña me gustaba dibujar, y quería convertirme en ilustradora de cuentos. Pero cuando descubrí que con el manga podía aunar dibujo e historia, decidí que de mayor quería dedicarme a eso.

N: No es muy habitual que una mujer dibuje shonen manga. ¿Le fue difícil entrar en este mundo? ¿Puede decirnos qué la llevó a escoger este género?
KK: Creo que se trata de una evolución natural, un mero cambio generacional: en los últimos años el número de chicas que leen shonen ha aumentado mucho, así que es normal que cada vez más aspirantes a mangaka dibujen shonen.

N: ¿Dónde encuentra la inspiración para sus series?
KK: El cine me influye mucho. Lo cierto es que me he dado cuenta de que en mi trabajo reflejo todas las inquietudes que tenía de niña, expreso los sentimientos, las vivencias y todo aquello que me llamaba la atención cuando era joven.

N: Rin Okumura usa un clip para sujetarse el pelo cuando estudia. ¿Usted también utiliza uno?
KK: ¡Pues la verdad es que sí! En Japón es bastante habitual que los chicos se sujeten el flequillo cuando estudian...

SOY UN POCO DURO DE MO- LLE- RA...

N: Si tuviera que escoger, ¿cuál es el personaje que más le gusta dibujar? ¿Y el más difícil?

KK: El más divertido es, sin duda, Mephisto. ¡Cuando tengo tiempo me gusta recrearme en sus ropas y complementos! Y el más difícil... no diría que es un personaje, sino uno de los complementos de un personaje: las gafas de Yukio a veces me dan algún que otro problema.

N: Viendo su autorretrato y otros trabajos previos, es evidente que le gustan los conejos. Entonces, ¿por qué la mascota de Rin es un gato de dos colas?

KK: Pues la verdad, ¡porque una amiga tiene un gato adorable y lo he usado como modelo! Además, dado que el mundo de *Blue Exorcist* es un lugar mágico con toques esotéricos, un gato negro era mucho más adecuado, porque desde siempre ha estado mucho más relacionado con ese mundo.

N: ¿Cómo le gusta pasar su tiempo libre cuando no está trabajando? ¿Cuáles son sus aficiones?

KK: Pues la verdad es que no tengo mucho tiempo libre (risas). Como me gusta mucho el cine, aprovecho para ver alguna película en casa o en el cine. Y cuando puedo, ¡me gusta dormir!

N: ¿Qué piensa de España? ¿Y del Salón del Manga?

KK: Me ha emocionado mucho conocer a mis fans, ver con cuánta emoción se acercan y expresan su entusiasmo. En Japón no suelen expresar sus sentimientos con tanta honestidad. De esta visita a España lo que más me ha gustado ha sido el flamenco, ¡tan apasionado! Me he divertido mucho y estoy muy agradecida por haber podido venir.

N: ¿Querría enviar un mensaje a sus fans españoles?

KK: Espero que mis lectores españoles disfruten de los tomos de *Blue Exorcist*. ¡Ojalá pudiera leerlo yo también en español para saber cómo se ha adaptado al castellano!

BLUE EXORCIST vol. 4

AO NO EXORCIST © 2009 by Kazue Kato
All rights reserved.
First published in Japan in 2009 by SHUEISHA Inc., Tokyo.
Spanish translation rights in Spain arranged by SHUEISHA
Inc. through VIZ Media Europe, SARL, France.

© 2012 NORMA Editorial por esta edición.
Norma Editorial, S.A. Passeig de Sant Joan, 7, principal.
08010 Barcelona. Tel.: 93 303 68 20 – Fax: 93 303 68 31.
E-mail: norma@normaeditorial.com
norma@normaeditorial.com
Traducción: Maite Madinabeitia – Daruma Serveis Llingüístics
Realización técnica: Doble Cherry
Depósito Legal: B-36.713-2011
ISBN: 978-84-679-0811-4
Printed in E.U.

www.NormaEditorial.com
www.normaeditorial.com/blogmanga/

BLUE EXORCIST

Consulta los puntos de venta de nuestras publicaciones
en www.normaeditorial.com/librerias
Servicio de venta por correo: Tel. 93 244 81 25
correo@normaeditorial.com, www.normaeditorial.com/correo